NOS SADWRN O HYD

&

CYW

gan **Roger Williams**

Cyhoeddwyd gan Joio
www.joio.cymru
Cyhoeddwyd am y tro cyntaf yn 2019

ISBN: 978-9955215-1-3

Cynllun y clawr gan Height Studio
Llun y clawr gan Claire Cousin
Gosodwyd y testun gan Eira Fenn Gaunt, Caerdydd
Cyhoeddwyd yng Nghymru

Mae'r dramodydd Roger Williams wedi ysgrifennu dramâu ar gyfer nifer o gwmnïau theatr gan gynnwys Theatr Genedlaethol Cymru (*Tir Sir Gâr*), Made in Wales (*Gulp & Killing Kangaroos*), Chapter (*Mother Tongue*), Theatr na nÓg (*Kapow!*), Sherman Cymru (*Surfing Carmarthen Bay*) a Choleg Brenhinol Cerdd a Drama Cymru (*Y Byd [A'i Brawd]*).

Derbyniodd Roger y wobr am yr awdur gorau yng ngwobrau BAFTA Cymru am ei waith ar y rhaglenni teledu *Tir* (2015) a *Caerdydd* (2010). Enwebwyd Roger am wobr Writers' Guild of Great Britain yn 2017 am ei waith ar y gyfres ddrama *Bang*. Enillodd y gyfres hon y wobr am y gyfres orau yng ngwobrau BAFTA Cymru yn 2018 a'r wobr am y gyfres ddrama orau yng ngwobrau'r Ŵyl Cyfryngau Celtaidd 2018.

NOS SADWRN O HYD

gan **Roger Williams**

Cynhyrchwyd y sgript hon am y tro cyntaf yng Nghanolfan y Mileniwm gan OOMPH a Mas ar y Maes fel rhan o Eisteddfod Genedlaethol Caerdydd 2018.

Lee – Sion Ifan

Cyfarwyddwr – Aled Pedrick

LEE

Mae LEE – dyn yn ei ugeiniau canol – yn annerch y gynulleidfa.

Roedd nos Sadwrn Matthew'n dechre am un o'r gloch. Un o'r gloch y pnawn.

Fydde Matthew ddim yn gweud gair ar ôl codi cyn tsiecio Facebook a Twitter. Ond ar ôl darllen status updates ei ffrindie a hoffi ambell i selfie bydde fe'n troi 'i iPhone-X e bant, yn neidio o'r soffa ac yn cyhoeddi, "I'm gonna make my hunan beautiful. Pum muned, alright?"

Ac awr yn ddiweddarach, bydde fe nôl. Yn ymddangos ar dop y grisie fel cystadleuydd Strictly Come Dancing, yn barod i fentro i'r ballroom. Gyda phob blewyn o'i wallt yn ei le a'i T-Zone wedi tawelu... bydde Matthew'n waltz-an at y drws, yn neud yn siŵr bod ei gerdyn Visa'n saff yn ei boced ac yn paratoi i wynebu'r byd. Roedd nos Sadwrn yn agosau, ac roedd Matthew'n benderfynol o neud y mwyaf ohoni hi.

Chi'n gweld, ym myd Matthew roedd nosweithi Sadwrn yn bwysig. Rhy bwysig i beidio dathlu. Roedd nosweithi Sadwrn fel dyddie bant o'r gwaith, freebies annisgwyl a salted caramel chocolates yn bethe i'w trysori. Bydde Matthew'n cyfri'r dyddie'n gwibio heibio bob wthnos fel plentyn yn agor y dryse ar ei advent calendar.

Roedd Matthew'n dwlu ar wisgo lan a mynd mas... meddwi, chwerthin a danso nes bo'r DJ'n barod i fynd i'w wely. Roedd mynd allan ar nos Sadwrn yn grefydd i Matthew ac fel pob aelod ffyddlon o'r cwrdd o'dd e byth yn colli oedfa. Dim ond unwaith yr wthnos roedd Matthew'n cael y cyfle i addoli ac roedd rhaid – RHAID – mynd i'r capel i gynnig gair o ddiolch.

Cyn mynd allan roedd 'na draddodiade i'w dilyn, cwestiyne i'w gofyn a phenderfyniade i'w neud. Ble? Pryd? Ac yn bwysicaf oll: "What in the name of Iesu Grist am I gonna gwisgo tonight?"

Daeth yr ateb i'r ddou gwestiwn cynta mewn tecst wrth gyd-addolwr, "Golden Cross, half-eight." Ond roedd y drydedd broblem yn fwy o her. Wedi iddo dreulio hanner awr yn twrio drwy gwpwrdd dillad oedd yn barod i bosto, bydde Matthew'n rhoi'r gore i'r chwilio ac yn datgan bod angen cymryd camau brys: "I'm gonna have to mynd i siopa eto."

Roedd Matthew'n siopwr o fri ac roedd e wrth ei fodd yn treulio'r diwrnod yn crwydro Caerdydd am rywbeth newydd i wisgo. H&M, All Saints... yna'n osgoi'r mamau'n llusgo'u plant ar hyd yr Aes... i TK Maxx, Urban Outfitters. Bydde fe'n chwilio am ddilledyn beiddgar, lliwgar.... Rhwbeth bydde'n denu sylw. Dilledyn bydde rhywun 'mond yn mentro gwisgo yng nghysgodion clwb nos lle nad oedd yr heddlu ffasiwn ar ddyletswydd. Iwnifform clwb nos, rhwbeth bydde'n gweiddi... "Hey! Lookie here, bawb! Fi'n cal noson absoliwtli ffabiwlys and I'm wearing the crys-T to prove it!"

Roedd Matthew'n drwyadl yn ei ddewis. A dim ond pan odd e 'di ffindo dilledyn arbennig, a chredwch chi fi, odd Matthew wastad yn gallu ffindo dilledyn arbennig, bydde fe'n ymlacio ac yn cytuno i droi am adre.

Eistedda Matthew ar sêt gefn y bws gyda gwên fawr ar ei wyneb; hapus ei fyd. Wedi ymgolli yn ei feddylie, bydde Matthew'n eistedd yn dawel yn brysur ddychmygu pa bâr o drowsus fydde'n cyd-fynd ore 'da'r crys odd e newydd brynu. "Ma' heno'n mynd i fod yn awesome," bydde fe'n sibrwd, cyn penderfynu os oedd e moyn fish-fingers neu sbageti i swper.

Wrth gyrradd y tŷ bydde Matthew'n parcio'i hun o flaen y teledu i gyhoeddi ei gynllunie ar gyfer y noson i'w fil ac wyth deg naw o ffrindie Facebook. "Longest week ever. Can't wait to get steaming tonight. LOL." Tra'n gorwedd yng nghanol môr o fagie plastig, bydde Matthew'n syrffio ton o ymatebion i'w statws tra odd Keith Lemon yn rhwto'i hunan yn erbyn aelod o'r Saturdays yn y cefndir.

Tra'n sgrowlio drwy luniau Amy Hall o ddiwrnod bant gyda'r merched ym Mryste a beirniadu'r wanabees oedd wedi cyrraedd bootcamp yr X-Factor, bydde Matthew'n gweddio bod y noson o'i flaen yn llwyddiant ysgubol. A dim ond ar ôl i Louis Walsh weud wrth y ferch siop-chips o Wigan ei bod hi 'di "smasho fe" y bydde Matthew'n diflannu o'r stafell i baratoi.

Bob hyn a hyn, bydde Matthew'n ymddangos wedi hanner wisgo gyda llond ceg o gwestiyne. "Ydi'r crys 'ma'n rhy dynn? Ydi 'mhen ôl i'n edrych yn ma-hoo-sive yn y jîns 'ma? What should I do with my gwallt?" Ballodd e gymryd sylw o'n atebion i wrth gwrs achos – gan nad o'n i'n perthyn i Stella McCartney – odd 'y marn i'n cyfrif am ddim. "Ydi, rhy dynn." "Pa ben ôl?" "Torra fe gyd bant!"

Trwy wyrth, eiliade ar ôl i'r tacsi gyrraedd, bydde Matthew'n dychwelyd i'r 'stafell fyw gyda'r crys brynodd e'n gynharach y diwrnod hwnnw'n glynu i'w gorff fel cling-ffilm. "Reit. Barod. Dwi'n edrych yn fuckin' anhygoel and I'm gonna get trollied."

Wedi diod neu ddwy mewn cyfres o leoliade – Peppermint, Wow – bydde Matthew'n arwain y bererindod arferol i'r un hen glwb le gele fe un ddiod yn ormod cyn troelli o gwmpas y dancefloor fel cwpan mewn dŵr. Bydde fe'n deuawdu 'da Taylor Swift, shiglo'i gorff i gân newydd Rita Ora ac yn sefyll yn llonydd – ei freichie 'di plygu – pan oedd y DJ'n mentro chware unrhyw gân odd llai na ninety beats per minute.

Roedd Matthew'n dwlu ar nos Sadwrn, ac o'n i'n 'i gasáu e am hynny.

3

O'n i'n casáu'r ffordd odd e'n cario clecs 'da'i haid o ffrindie wrth y bar, yn fflirto 'da dynion dierth, ac yn yfed WKD mewn ffordd awgrymog o'r botel. Yr un stori odd hi bob wthnos. Yn ddi-ffael, ar ddiwedd y noson, bydde Matthew'n feddw gaib. Bydde fe 'di ffroeni speed fel hand-held Dyson a 'di neidio ar y llwyfan pan odd y DJ'n chware unrhyw beth gan Little Mix er mwyn esgus bod yn Jesse.

Roedd hi'n dipyn o broblem a gweud y lleiaf felly, taw Matthew odd 'y nghariad i a bod ni 'di bo'n gweld ein gilydd ers tri mis.

Grindr odd ar fai. O'n i 'di iwso'r app cannodd o weithie mewn ymdrech i fachu partner. Ac er y celwyddgwn, y dynion priod a'r timewasters, o'n i'n benderfynol o beidio â rhoi'r gore i'r chwilio. O'n i'n edrych am gariad. Ac os nag o'n i'n ffindo Mr. Right ar Grindr y tro 'ma, bydde rhaid i wanc bach neud y tro.

Roedd llwyth o ddynion 'di lanlwytho'u proffeils yn y gobeth o ddod o hyd i bartner. Fel prif feirdd, roedd pawb 'di crefftio'u enwe profile 'da gofal: "Horny Hung Guy", "Bottom 4 Top", "Cock Now". Dim doubt, roedd Hedd Wyn yn troi yn ei fedd. "No pic, no reply", "Everything but anal", "Put my dog down today, need cheering up".

Ar Grindr, roedd dynion five foot ten yn troi'n gewri six foot plus. Roedd cyrff arferol yn cal 'u uwchraddio i fod yn "toned". Roedd pawb yn ymuno â llwyth. Eirth, twincs, dadis, jocks... Pob un ohonynt yn chwilio am sgwrs, ffrindie, perthynas... ond hefyd yn barod i gyfaddef eu bod nhw'n agored i "no strings".

Gan ddeall bod creu argraff gynta'n hanfodol, ddewishes i'n profile picture yn ofalus. Hales i orie'n treial cymryd llun teidi o'n hunan yn nrych y bathrwm. Stumog mewn, chest mas, gwena, clic.... Wedi penderfynu bo fi'n edrych yn fwy tebyg i Wil Cwac Cwac na'r math o foi fyddech chi'n gwahodd adre i gwrdd â'ch rhieni, nes i roi'r gore i'r photoshoot a dewis llun o'n hunan ar wylie yn yr haul haf diwetha. Six pack – bron. Lliw haul. Eight out of ten.

Nes i addasu'r lliwie – Nashville Filter – a golygu'r llun nes y cwbwl o' chi'n gallu gweld o nghorff i odd y rhan rhwng fy ngwddf a'n mhenglinie – a'i bostio ar lein.

Eiliade yn ddiweddarach ddechreuodd y negeseuon gyrradd. "Hey. How's you doing?" "Hot bod mate." "What U in2?" Ddechreues i sgyrsie odd mond yn mynd i arwain at drwbwl…. Ac yna, gyrhaeddodd neges Matthew. "Nice teeth."

Gytunon ni i gwrdd am un drinc a bennon ni lan yn hala'r noson 'da'n gilydd. Fydden i ddim 'di disgrifio Matthew fel 'y nheip arferol i. Odd e'n pastry chef 'da'r gallu i roi blow jobs anhygoel. Pa ddyn fydde'n gweud "na" i gyfuniad o ddonie fel 'na?

Gethon ni sbort, yn y dechre. Ond y gwirionedd o'n i ffili anwybyddu odd bod Matthew a fi mor wahanol. O'n i'n custard slice ac odd e'n Belgian bun. O'n i'n syllu ar y sêr tra bo fe'n sgrechen ar y lleuad. Roedd Matthew wrth 'i fodd ar ganol y dancefloor tra o'n i'n hapusach o lawer yn cysgodi wrth y bar.

Er gwybodaeth, sai'n danso. Wi'n un o'r bobol 'na chi'n gweld mewn clybie nos yn sefyll ar ymylon y dancefloor yn gwylio pawb arall yn taflu 'u hunen rownd. Yn hapus i wylio, ma' 'da fi alergedd i gerddorieth.

Wi'n neud ymdrech wrth gwrs. Wi'n sibrwd geirie'r gân fel pysgodyn aur, tapio'n nhroed i'r curiad ac yn siglo o un ochr i'r llall. Gwyliwr brwd o bêl droed fydd byth yn ddigon da i chware ar y cae. Nag o'n i'n cystadlu yn yr Uwch Gyngrhair fel Matthew.

S'neb yn 'y nheulu i'n gallu danso. Ma' fe yn ein DNA ni. Fel lliw ein llygaid, a maint ein traed. Ffindes i mas bo fi 'di etifeddu'r genyn teuluol yn nisgo'r ysgol yn mil naw naw wyth. Pan nath "Spice Up Your Life" gan The Spice Girls floeddio o'r uned sain nes i farw'n araf yng nghanol 'y nghyd-ddawnswyr. Gyda phob merch, bachgen, athro ac athrawes yn chwerthin am 'y mhen i nes i dderbyn bo'n galluoedd yn y maes yn gyfyngedig. Ac ar ôl i Cerian Jones ddatgan mod i'n "Embarrassment…" ddyle fod "…wedi aros gatre 'da gweddill y saddos…" nes i roi'r gore i ddanso a dechre gweud "Na" pan odd unrhyw un yn cynnig symud yn nes at y mirrorball.

Nes i greu llwyth o esgusodion tra'n crwydro o barti i dafarn, o far i glwb nos, ar nos Sadwrn allan yng Nghaerdydd. "Alla i ddim a danso heno sori, nes i droi'n mhigwrn yn chware rygbi ddoe… owch…" "Sori, wi'n goffod mynd i'r tŷ bach, wi bytu posto…" "Cer di, nai ddala lan 'da ti mewn muned…" Fel Doctor Bruce Banner, o'n i'n llercian yn y tywyllwch, "Paid â'n ngorfodi i i ddanso…. Fyddwch chi ddim yn 'yn lico i pan wi'n danso."

Felly pan gyrhaeddodd nos Sadwrn unwaith yn rhagor a nethon ni fentro i mewn i'r dre, nes i gydio'n dynn yn ochor y pwll tra bod pawb arall yn sblasho rownd yn y pen dwfn.

"So? Ti'n mynd i ddanso 'da fi heno neu beth?" gofynodd Matthew ar ôl blino ar chware 'da'i ffrindie newydd. D, d, d, danso? "Alright! Paid â bod mor touchy! S'neb yn edrych arno ti, you know."

Nawr…. Falle ddylen i 'di cau 'y mhen…. Falle ddylen i 'di cnoi 'y nhafod a 'di gorffen y berthynas yn sobor a 'da rhywfaint o urddas. Ond nes i ddim. Ac yn hytrach na neud y peth aeddfed, nes i frathu. Wrth wylio Matthew'n dathlu 'da'i ddisgyblion dan y goleuade lliwgar wedes i rwbeth mor greulon nes i danseilio'i ffydd.

Ddigwyddodd e pan ffrwydrodd Take That o'r system sain. Fel arfer fydden i ddim 'di meindo ond ar ôl goddef Justin Bieber a One Direction o'n i 'di cal llond bol. Unwaith glywes i sgrech fyddarol Gary Barlow, deimles i'r dicter yn corddi tu fewn. Y gynddaredd. Y gwylltineb. Y casineb tuag at gasgliad recordie odd angen eu llosgi.

Ddim troi nôl. Wedi neidio o sil y ffenest, ac yn cwmpo'n gyflymach na prop forward o'r degfed llawr, ffindes i'n hunan yn troi at Matthew, jyst troi ato fe a gweud, "Ma' Take That yn shit". "Beth?" nath e ofyn, ddim cweit yn 'y nghlywed i dros y côr meibion odd wedi dechre canu'r geirie.

"Mae Take That yn shit. Cas 'da fi Take That."

"Paid â bod yn wanker, Lee. Ma' Gary Barlow'n lej."

Yfodd e 'i seidr a chwifio at y DJ.

"Wi'n 'i feddwl e. Wi wir yn casáu Take That."

"Na, ti ddim."

"Odw. Treni nath y tri arall ddim dilyn esiampl Jason Orange a diflannu o olwg 'fyd. Ma'n nhw'n fucking shit."

Man a man bo fi 'di gyrru cyllell yn syth i mewn i'w frest e.

"Ond... ni'n caru Take That."

"Na, Matthew. Ti'n caru Take That. Ti'n caru Take That, yn gwmws fel 'yt ti'n caru Love Island, ready mixed Mojitos, a'r twll 'ma. Sai byth 'di hoffi nhw."

"Bullshit," wedodd e.

"Odi. Ma' fe."

Adawes i cyn i'r dagre lifo.

LEE

Mae LEE yn dadwneud y botwm cyntaf ar ei grys ac yn torchi llewys.

Roedd aros mewn ar nos Sadwrn yn brofiad newydd. Rhai wthnose nôl fydden i 'di bo'n cerdded ar hyd Mill Lane am naw o'r gloch ar nos Sadwrn ond heno o'n i adre o flaen y teledu yn syfrdanu bod dou ffarmwr ifanc o Hendy-Gwyn-ar-Daf yn canu emyn mewn sgubor dal yn cyfrif fel Noson Lawen.

Roedd 'yn nosweithi Sadwrn i 'di trawsnewid. Odd dim ishe gwisgo lan neu shafo…. Nag o'n i'n goffod treial cynnal sgyrsie 'da pobol mewn stafelloedd bychain llawn cerddoriaeth swnllyd. Hwn odd bywyd wedi Matthew.

Ond fel pâr o sgidie rhedeg newydd sbon, gollodd y ffordd newydd 'ma o fyw 'i sglein. Fel bywyd heb WiFi neu ddeiat cigwrthodol, nid oedd bodolaeth alltudol yn fêl i gyd. O'n i'n gweld ishe cymdeithasu. O'n i'n poeni bo fi'n colli mas. Hon odd y bumed nos Sadwrn i fi wylio Casualty 'da'n nwylo i lawr ffrynt 'y nhrowsus. O'n i ffili cario 'mlaen fel hyn! Felly pan glywes i bod Emma o'r gwaith yn taflu parti yn 'i thŷ newydd hi nes i dderbyn y gwahoddiad yn syth. "Alla i ddod â rhwbeth?"

Gyrhaeddodd nos Sadwrn a fentres i allan 'da photel o Smirnoff dan 'y mraich a cherdded tuag at Riverside am achubiaeth. Roedd hi'n dywyll. O'n i 'di anghofio shwd beth odd e i fod allan yr amser 'ma ar benwthnos. Gwthiodd criw o fois heibio yn chwilio am anturiaethe a llond bol o gwrw… Byddin ar symudiadau gyda disgwyliade mawr a gobeithion y tu hwnt i'w cyrradd.

"Hardly any point me goin' out tonight, boys. I'll be back home by nine doing the business with some lucky young lady on the bedroom carpet."

"Nine o'clock? Slow worker aren't you, mate?"
Ac wrth iddyn nhw ymlwybro heibio, eu crysau-T'n datgelu tatŵs lliwgar ar feiseps boliog, nes i ddechre teimlo'n annifyr, ofn. Roedd y dirwedd hon yn anghyffredin ac yn sefyll yn 'i chanol hi fel dieithryn, nath hi 'y nharo i fel byd tanllyd, peryglus.

Roedd gyr o ferched mewn lliwie Max Factor yn ymgorffori girl power yn cerdded lawr 'u catwalk ar Romilly Road. Yn gwisgo ffrogie byrion bydde'n "Edrach yn ameisin ar y dance floor", roedd Carys a Llinos, dwy stiwdant o ochra Traws 'di dod allan am martinis a miri mawr.

"Llinos, Lli! Ti'n dŵad ta be'? Mae'n hanner awr 'di wyth. Udes i 'swn ni yno am chwartar wedi 'sti. Ffor ffyc sêcs…. rho'r gora i boeni am dy zits chdi. Fydd neb yn edrach ar dy wynab os 'di dy tits yn disgyn allan o'r ffrog 'na eto."
Fel anifail sydd newydd ddefro o aeafgwsg, o'n i'n wyliadwrus, ar flaenau'n nhraed, yn aros i rwbeth ffrwydro, i un o'r bobol yn pasio i ddod ato i, i weiddi.
"Gawn ni fynd i Revolution, Carys? Dwi'n lyfio fo fanna."
Paradwys.

Ath car heibio'n sydyn, y stereo'n bloeddio…. "Cadwa dy ben i lawr. Paid ag edrych ar neb. Ti'n iawn. Ti'n saff."

Roedd y parti ar ei anterth pan gyrhaeddes i. Daeth Emma i'r drws a chynnig cwtsh mawr i fi.
"Olreit, cariad?"
Odd Emma 'di bo'n yfed ers amser cino ac o'n i'n gallu gweld y Prosecco yn codi o'i hanadl hi fel y stem o hot tub.

"Hei, Paula! Hwn yw'r un o'n i'n siarad am gynne."
Roedd Paula, ffrind gore Emma, wedi lapio'i hun mewn breichie cryf dyn dierth o'r enw Mason ac roedd hi'n brysur yn edmygu 'i deltoids e.

"Yr agrophobic? Treni. Mae'n eitha ciwt."
"Ma' fe off limits. So fe'n teithio ar 'yn bws ni."
"Beth? Berchen ar gar odi e?"
"Na! Mae'n lico coc."

Olreit, falle bo fi'n gorweud pethau nawr, ond yn yr eiliad honno, o'n i'n siŵr bod pawb yn yr ystafell 'di troi cant ac wyth deg gradd er mwyn edrych arno i. "Roll up, roll up.... Come and see the man with three nipples."

"Lyfli i dy weld di, blodyn," gweiddodd Emma yn fy nghlust, "Bydda i nôl mewn munud. Wi'n mynd i grogi pwy bynnag sy'n chware'r miwsig 'ma. Shit nag yw e." A dyna hi'n diflannu i chwilio am y person oedd wedi llwytho ei chyfrif Spotify gyda'r Greatest Showman soundtrack a gwasgu repeat.

Chwilies i am wyneb cyfarwydd yn y dorf. Dim lwc. Roedd gweld cyment o bobol yn cymdeithasu'n naturiol 'da'i gilydd yn neud i fi deimlo fel hyd yn oed yn fwy o ddiethryn. Nag o'n i'n siarad yr iaith hon. Fel rhywun o Bort Talbot ar goll yng Nghaernarfon, nag o'n i'n deall gair. "What oo sayin'?" Allan o'n nyfnder, o'n i moyn i Emma ddod nôl i gyfieithu. Dewi-dim-ffrindie. Y dyn unig yn y gornel. Beth odd 'yn opsiyne i? Aros, gadel, toddi….

"Ti yw Lee, ie? Carl. Brawd Emma. Fi'n casáu mynd i bartis lle dwi ddim yn nabod unrhyw un."
Rhwbeth yn gyffredin.
"Ti hefyd? Gret. Wi'n falch taw nage fi yw'r unig un sy'n teimlo lletchwith."
"Wel, na. Wi'n nabod bron pawb 'ma a gweud y gwir. O'n i'n siarad amdano ti. Wedodd Emma bo ti ddim 'di bod yn mynd allan yn ddiweddar."
Emma. Ceg fwyaf Caerdydd.
"Break-up gwael odd e"?

Cywiriad…. Ceg fwyaf Cymru.

"Es i drwy rwbeth tebyg yn ddiweddar 'yn hunan. O' ni 'da'n gilydd am ddwy flynedd."

"Reit. Wi'n gweld."

Daeth y sgwrs i ben. Nag o'n i'n gallu meddwl am unrhyw beth call i weud, felly geues i 'ngheg. Stopodd y gerddoriaeth. Roedd Emma yn amlwg 'di ennill ei brwydr 'da'r DJ. Symudes i o un ochr o nghader i'r llall yn treial meddwl am ffordd o roi tân dan y sgwrs 'ma unwaith yn rhagor heb swnio'n desperate. Odd ddim rhaid i fi fecso. "Top up?" ofynodd Carl gan gymryd 'y ngwydr o'n llaw.

A gyda'r un shot o fodca 'na ddechreuodd y sgwrs lifo unwaith yn rhagor a mynd â ni ar daith wyllt o destun i destun fel car cyflym yn cael ei yrru gan fachgen deuddeg mlwydd oed. Tra odd pawb arall yn danso, cusanu, cyffurio, nath Carl a finne drafod popeth sy'n bwysig mewn bywyd. Gwleidyddieth, diwylliant, Game of Thrones….

Grindwch, wi'n gwbod o'n i 'di addo'n hunan fydde hyn ddim yn digwydd eto. O'n i 'di gweud troeon nag o'n i'n mynd i ddychwelyd i'r lle 'na, i'r hunllef o'n i newydd ei dianc, ond wrth i ni siarad, ac wrth i ni chwerthin, am y tro cyntaf ers cwpla gyda Matthew nes i ddechre ffansio rhywun.

Roedd Carl yn athro. Roedd Carl yn dod o Benarth. Roedd Carl 'di astudio Seicoleg yn y brifysgol. Roedd Carl 'di treulio'i wylie diwethaf yn Copenhagen. Roedd Carl yn berffeth a bydden i 'di ymuno 'da'i ffan clyb e yn y fan a'r lle 'se rhywun 'di cal y sens i ddechre clwb o'r math. Roedd Carl yn dal, 'da gwallt du a wyneb alle 'di gwerthu siwts dros Armani. Felly beth odd y broblem? Y broblem odd, fel ffindes i mas am dri deg tri muned wedi pedwar yn y bore ac ar ôl llawer gormod o alcohol, bod Carl newydd gwpla 'da Debbie.

Olreit. Ma'n rhaid bo fi 'di gwbod ar ryw lefel bod dim chance 'da fi weld y boi 'ma yn 'i bants, ond chi'n goffod byw mewn gobeth. Odd Carl 'di hala orie'n siarad 'da fi, ac odd pob sylw, stori a jôc 'di'n swyno i. Laddodd yr enw "Debbie" 'y ngobeithion i. Odd e 'di cal perthynas 'da menyw. Odd e'n stret. Come on, odd e ffili help.

Odd hi'n hwyr iawn ac roedd y siom yn llethol. Roedd Carl yn ddyn hyfryd. O'n i 'di joio'i gwmni e ac ar ryw bwynt yn ystod ein sgwrs o'n i 'di dychmygu'r ddou ohonon ni'n cwmpo mewn cariad, symud mewn 'da'n gilydd a dewis papur wal. Ar ôl i "Debbie" strwo'n mreuddwydion i, nag o'n i moyn hala'r awr nesa'n ail-adeiladu hunan hyder Carl. Yn enwedig nawr bo'r cyfle o roi'n nhafod i yn 'i geg e 'di mynd i'r gwynt. Roedd hi'n fore dydd Sul. Gynnar iawn fore dydd Sul. O'n i ishe'r tŷ bach. O'n i moyn mynd adre. Beth o'n i bendant ddim ishe neud odd clywed gair arall am Debbie. Cyn i Carl gal cyfle i agor 'i ben, nes i droi am y drws.

Roedd niwl 'di gostwng ar Rolls Street. Nes i gau'n siaced yn dynn a phlanu'n nwylo yn ddwfn yn 'y mhocedi i. "Blydi hetero-sexuals. Ma'n nhw bob man y dyddie 'ma."
Nag o'n i 'di mynd yn bell cyn i Carl ddod ar 'yn ôl i.
"Hei, pam nes di redeg bant? Nes i weud rhwbeth o'i le?"
"Fi jyst 'di blino."
"O'n i'n tynnu 'mlaen yn dda nag o'n i? O'n i'n meddwl bo ti'n lico fi."
Cododd y niwl.
"Benodd Debbie 'da fi achos…." Roedd 'y nghalon i'n pwno'n glou. "Achos…." Yn glouach fyth…
Beth?
"Achos nes i weud 'thi o'r diwedd bo fi'n…." Nath e oedi… Chwilio am y geirie iawn…. "…bo fi'n hoffi dynion. Bo fi'n hoyw. Ti'n gwbod…. Gay."

Yn gwbwl annisgywl roedd y dyn o'n i 'di bo'n ffantasio amdano fe drw'r nos newydd ddod allan i fi. Yn sefyll yng nghanol y stryd, yn droed noeth, am rwbeth-erchyll-wedi-pedwar-o'r-gloch-y-bore, roedd y chwaraewr pel droed 'ma, odd yn yfed lager ac yn edrych tamed bach fel Henry Cavill, 'di dod allan i fi.

Edrychodd Carl arno i gyda'i lygad mowr, wedi drysu, yn aros am ymateb. Rhewodd amser, ac yn yr eiliade ddilynodd ddyle tân gwyllt 'di ffrwydro uwch ein penne ni, dyle rocedi 'di hedfan drw'r awyr dan sgrechen, yn lliwio'r awyr yn goch, melyn, gwyrdd. Dyle cerddorfa 'di dechre chware cerddorieth fyddarol a dyle teulu Carl 'di rhedeg o'r tai cyfagos i'w gofleidio fe fel cystad-leuydd cwis teledu sydd newydd ennill y jacpot er mwyn 'i lon-gyfarch e am gal y gyts i weud wrth y byd, wel fi ta beth, 'i fod e'n hoyw. Nath e ddim digwydd fel 'na wrth gwrs. Dyw e byth yn.

Syllodd Carl ar ei draed tra'n aros i fi weud rhwbeth. O'n i moyn gweud rhwbeth call, rhwbeth bydde'n neud iddo fe deimlo'n well. Rhwbeth bydde'n dileu ei ofne ac yn 'i sicrhau e. Ond y cwbwl o'n i'n gallu meddwl i weud odd, "Mae'n oer." A nath Carl gytuno ei bod hi.

LEE

Mae LEE yn dadwneud botwm arall ar ei grys.

Nes i ddim cysgu 'da Carl y noson 'na. Onest! Nes i ddim 'i gusanu fe na'i lusgo fe nôl i'n stafell wely i, tynnu 'i ddillad a thaflu'n hunan ato fe fel lliain sychu llestri gwlyb dros ffrimpan ar dân. Na, arhoses i tan yr wthnos ganlynol er mwyn neud 'nny.

Tra'n cerdded ar hyd Cathedral Road i gwrdd ag e ddechreues i golli hyder. Fydde Carl yn troi allan i fod yn Matthew arall? Beth os odd e'n dwlu ar ddisgo, yn llofrudd neu'n waeth…. Brexiteer? Wrth droi'r gornel a gweld Carl yn aros amdano i y tu allan i'r dafarn mewn pâr o jîns du a hoodie 'di zipo hanner ffordd lan o'n i'n gwbod bod dim rheswm 'da fi i fecso. Roedd 'i wallt yn anniben a phan welodd e fi nath e godi 'i law a gofyn "Olreit?" Ac o'r wên fawr ar 'yn wyneb odd e'n gallu gweld 'y mod i.

Nid oedd Carl fel Matthew. Roedd Carl yn grando. Doedd e ddim yn mynd dros ben llestri. Roedd Carl yn darllen papur newydd yn ddyddiol ac rodd e'n gallu ishte trw' ffilm yn y sinema heb godi o'i sedd bob awr i brynu mwy o bopcorn. Doedd Carl ddim yn siarad yr holl ffordd drwy raglen deledu dda, doedd e ddim yn treulio oriau o flaen y drych…. Roedd e'n reido beic mynydd, yn rhedeg rasus 10K ac yn cytuno bod creadigeth One Direction yn drosedd annaturiol. Bydde fe'n saff i weud bod 'da'r ddou o' ni dipyn yn gyffredin.

Ar ôl stop tap gerddon ni'n araf i lawr Heol Llandaf. Roedd strydoedd Caerdydd yn cwmpo i gysgu ond wrth i ni droi cornel ddethon ni ar draws ffeit. Hunllef annisgwyl. Dou ddyn meddw yn treial ymosod ar 'i gilydd, gweiddi'n uchel ac yn rhegi. Perygl. Nath un o'r dynion ollwng 'i fag o chips. "Bastard! My curry sauce!" Rhoiodd Carl 'i fraich rownd 'yn ysgwydd i a'n arwain i i ffwrdd.

"Dyma ni 'te."

"Ie, dyma ni."

Roedd y ddou ohonon ni'n sefyll dan olau stryd y tu allan i'n fflat i tra o'n i'n chwilio am allwedd 'y nrws ffrynt i. Arhosodd Carl. Nag odd e'n bwriadu gadel heno. Dychmygwch saib hir tra bo'r ddou o ni'n treial actio'n naturiol dan wres gloyw Western Power. Y ddou o ni'n sythu – yn despret i fynd tu fewn – ond yn aros i'r llall gynnig y syniad.

"Byw 'ma ar ben d'hunan 'yt ti?"

Cwestiwn agoriadol. Y gic gyntaf.

"'Da cwpwl o ffrindie, odw."

Gwên gyfeillgar, treial pido rhoi ofn i'r boi.

"Mae i'w weld yn neis."

A dyna'r sylw o'n i'n aros amdano fe. Y geirie odd yn caniatau i fi ofyn – fel petai'r syniad newydd 'y nharo i'r eiliad honno – "O, wel, ma' croeso i ti ddod mewn ac edrych rownd os ti ishe." Olreit. Nag odd e'n lot fwy soffistigedig na'r hen gliché, "Ffansi coffi?" ond nath e'r jobyn ac ar ôl gwibdaith o'r fflat eisteddon ni ar soffa'r ystafell fyw'n sgyrsio ac yn llygadu ein gilydd. Arddegwyr chwantus ar drip ysgol.

Steddes i nôl heb neud unrhyw ffys, cymryd anadl ddofn a throi i'w wynebu e. Nawr, yn 'y marn i, ma' pwynt yn dod yn y sefyll-faoedd hyn pan ma' ishe rhoi'r gore i'r mân siarad a jyst mynd amdani. Moment pan ma' angen syllu ar y person chi 'di bo'n dychmygu cusanu ers orie, syllu arnyn nhw heb gywilydd nes bo nhw'n cal y neges yn uchel ac yn glir. Yn fuan iawn mae'n amhosib iddyn nhw anwybyddu'r ffaith mai'r unig beth chi ishe neud nesa yw stopo'r chit-chat a chyfnewid poer.

Felly, edryches i ar Carl. Gwylio'i geg yn rhygnu 'mlaen. Astudio 'i wyneb…. Parhau i edrych. Ddim troi nôl…. Aros am yr eiliad pan ma' dy galon di'n pwno fel drwm achos chi'n gwbod bod yr eiliad fawr 'di cyrraedd, bachu ar y cyfle, plygu mlaen a mynd am y geg… gan neud yn siŵr bod eich gwefuse'n cysylltu'n llawn.

"Fi 'di joio heno."

"Ie, fi 'fyd," atebes i, gan ddyrnu ei goes yn ysgafn ac yna'n gorffwys 'yn llaw ar 'i ben glin. Tactic da, hwnna. Yr adeg dynged-fennol.

Drychodd Carl ar 'yn llaw.

"Wedodd Emma fydde hyn yn digwydd."

"Beth?" ofynnes i gan neud 'y ngore i bido dangos iddo fe bo fi'n barod i bosto. Yn llythrennol.

"Hyn", medde fe. A dyna pryd estynodd e draw a'n nghusanu i.

Nath ein gwefuse ni gyffwrdd. Tynnodd e nôl fymryn, gwenu ac yna'n gyrru mlaen i nghusanu i'n galetach.

Yng ngwyll 'yn ystafell wely, dynnodd Carl 'i grys-T. Odd e'n flewog. Ddim Planet of the Apes blewog. Odd e ddim yn efaill i Tom Selleck. Ond odd ganddo fe ddigon o garped dros 'i chest i allu honni 'i fod e'n cynhrychu mwy o testosterone na'r Ospreys.

Symudes i'n llaw yn araf i lawr 'i gorff tuag at 'i fogel a dadneud ei belt. Taflodd Carl 'i drowsus i un ochr a sefyll o'n flan i yn ei sannau a'i boxer shorts. Dryches i fe lan a lawr, yn edmygu ei becyn yn tyfu'n fwy ac yn fwy 'da phob eiliad. Trystwch fi, odd ddim rheswm 'da hwn i fod yn shei. Odd e'n crynu. Yn amlwg yn bryderus, odd e'n poeni am beth odd ar fin digwydd. Nes i'r peth cywir wrth gwrs, a chymryd mantes 'no fe.

LEE

Mewn dim amser o gwbl roedd 'yn ffrindie i 'di cal llond bol o glywed fi'n sôn am Carl. "Carl, Carl, Carl. Newida'r record nei di?" Wedodd pawb bo fi'n obsessed 'da'r boi ac o' nhw'n barod i ddarogan y bydde'r berthynas yn gorffen gyda fi mewn dagre ac yn bygwth neidio o do Canolfan y Mileniwm. Cenfigen odd e wrth gwrs. Odd pawb yn dwlu ar Carl – shwd allen nhw beidio?

Ro'n ni 'di bo'n gweld 'yn gilydd ers chwe mish erbyn hyn, carreg filltir o ryw fath, ac roedd Carl ishe dathlu.
"Ddylen ni fynd mas."
"Mas?"
"Wel ie. Allwn ni ddim aros mewn ar noson mor arbennig â hyn. Pam so ni'n neud rhwbeth?"
"Beth?"
"Sai'n gwbod. Mynd i glwb falle."

Clwb? Clwb? Bydde hynny'n golygu…. Danso. Rhywle yn ddwfn yn 'y mren o'n i dal yn cal hunllefe am Matthew yn neidio lan a lawr i Beyonce wrth y DJ booth. Nes i boeni am daro ar 'i draws e. Wedi'r cwbwl, Caerdydd ar nos Sadwrn odd milltir sgwâr Matthew. Beth ddigwyddiff pe baen ni'n gweld ein gilydd ar draws tafarn brysur? Beth weden i pe bai sodiwm yn cyffwrdd â dwr? Nag o'n i'n ddigon dewr i fentro. Man a man bod yn onest, wedi'n mhrofiade i gyda Matthew bydde cystadleuydd Bake Off 'di cal mwy o lwc yn codi soufflé mewn ffwrn oer nag odd 'da Carl o'n mherswadio i fynd allan i glwb nos.

"Trysta fi. Sai'n mynd i neud i ti ddanso, olreit?"
Ddryches i i fyw 'i lygaid e… a'i gredu.
"Iawn. Ond sai'n mynd mas 'da ti 'di gwisgo fel 'na. Bydd rhaid i ti newid.

Odd er ar fin cwyno pan wedes i, "O'n i'n meddwl bo ti moyn i heno fod yn sbeshal."

Gododd o'r soffa, ochneidio, a gadel y stafell.

"Fydda i ddim yn hir. Pum muned olreit?"

A phum muned yn ddiweddarach, odd e nôl.

"Dere mlan. Mae'n nos Sadwrn. Ni'n ifanc, rhydd, ac olreit so ni'n sengl, ond ni'n byw ym mhrifddinas ieuengaf Ewrop." Odd e o hyd yn gweud hwnna. Hysbyseb fyw Darganfod Cymru. Droies i'r goleuade bant a'i ddilyn e mas drw'r drws.

Nos Sadwrn arall yng Nghaerdydd.

Tra'n eistedd yn y bar ar Saint Mary's Street anghofion ni'n llwyr am amser a sawl uned o alcohol roedd y ddou o' ni'n yfed. Roedd y bar dan ei sang â dinasyddion yn aros am yr adloniant nosweithiol odd wedi 'i hysbysebu ar walydd y lle yfed.

O'n i ar fin dechre ailadrodd 'yn hun yn fy meddwod pan ddath Lorraine i'r llwyfan a chwythu'n galed i mewn i'r meicroffôn. "Oh good, it's turned on," nath ein compere wenu. "And it's not the only thing on this stage tonight that's turned on either!"

Roedd Lorraine yn dduwes mewn denim a cowboy boots. Roedd 'i gwallt 'di cal 'i lliwio cyment o weithie nag odd hi hyd yn od yn cofio'i lliw naturiol hi. Ddath Carl yn ôl i'r ford o'r bar 'da dou beint o lager a phecyn o cheese and onion crisps.

"Ti 'di bo'n amser hir."

"Odd 'na ciw!" Sylwes i ar wên fach yn ffurfio ar 'i wefuse.

Dechreuodd Lorraine annerch yr ystafell unwaith yn rhagor. "Now then boys and girls. As you know, Saturday night's entertainment night…." Gwaeddodd y dorf yn uchel. "Frisky lot tonight, aren't you?" Roedd Lorraine yn cal modd i fyw ar nosweithi fel hyn. Yn dwlu ar y sylw. "Well you're not going to be disappointed. Because it's that time of the month again.... Watch it! The time of the month for Karaoke!"

Gyda'r gair KARAOKE dal yn atseinio nath y meddwon yn y gynulleidfa ddathlu'n frwdfrydig tra bod yr elfen sobor yn estyn am eu cotie. Nes i gwmpo rhwng y ddwy stol – yn dathlu ac yn estyn. Dathlu, estyn.... Whatever. "And startin' us off tonight...." Datblygodd y wên ar wyneb Carl. "A brave young soul...." Yn fwy ac yn fwy.... Na, plîs.... "A cute young thing so I'm told too...." O'n i'n teimlo'n sic. "So give the lad a big Croeso...." Tsunami o wên.... Gwên-ami. "Give a big round of applause to...." Rhy hwyr i ddianc o'r don odd ar fin 'y mwrw i. "Lee from Cardiff!"

Ath y gynulleidfa'n wyllt, fel praidd o gŵn, yn falch taw nage nhw odd y cynta' i fentro i ffau'r llewod. "Come on, Lee. Don't be shy now." Ges i'r awydd i baragleido, nofio gyda siarcod, danso … unrhyw beth, unrhyw beth o gwbl ond canu!

Odd e 'di'n nhywllo i. Roedd Carl – cariad drwg – 'di'n nhwyllo i. Ac wrth i Lorraine 'yn lusgo i at y llwyfan nes i edrych draw ac addo dial arno fe.

Y llwyfan 'na – yr eiliad honno – odd y lle mwya unig yn y byd. O'n i'n sefyll ar 'y mhen 'yn hunan gyda dim byd ar wahan i feicroffôn fel cwmni, yn feddw, gydag arf peryglus yn fy meddiant – fy llais.

"Is everybody ready?" Nes i gau fy llygad ac atgoffa'n hun y bydde'r hunllef ar ben mewn ychydig dros tair muned. Tair muned a bydde Carl – roedd erbyn hyn yn sefyll ar 'i draed yn gweiddi – yn sengl eto. Tair muned a.... Dechreuodd y gerddoriaeth. Nes i sylweddoli nag o'n i'n gwbod beth o'n i'n ganu. Pa gân odd Carl 'di dewis? Fuck! Beth o'n i fod…

Clywir "Greatest Day" gan Take That mewn arddull karaoke.

O, na. Unrhyw beth ond…. Plîs, unrhyw gân arall…. Anadl ddofn, paid â panico, treial pido hwdu…

Mae Lee yn canu'r gân; yn ansicr yn y dechrau ond yn magu hyder wedi'r diwedd.

Wedi'r canu a'r gymeradwyeth eironig, lynces i weddill 'y mheint mewn un.
"Dere mlan, Adele! Ma'n rhaid i ti gyfaddef bod hwnna'n ddoniol."
Doniol? Odd e'n gall?
"Odd e'n sypreis! Sypreis arbennig ar noson arbennig."
A dyna pryd dynnes i focs bach 'di lapio mewn papur arian o'n mhoced i a'i osod e ar y bwrdd.
"Ti ddim ar fin gofyn i fi dy briodi di wyt ti?"
"Jyst agora fe, Carl."
Tynnodd e'r papur ac agor y bocs.
"Mae'n hyfryd."
Estynodd e am fy llaw a'i gwasgu. Ei watch newydd yn disgleirio o dan y mirrorball.

Gerddon ni lan at y castell 'da'n gilydd. Roedd goleuade'r nadolig yn hongian uwch ein penne ni ac roedd canodd o bobol yn tyrru i glybie nos tanddearol. Roedd gang o stiwdants yn dadle 'da gyrrwr tacsi y tu allan i Howells. Roedd dyn mewn crys melyn llachar yn hwdu ger Pizza Express. Gerddon ni mlan.

Sai'n cofio croesi'r hewl na beth yn gwmws o' ni'n drafod ond wrth i ni agosau at erddi Sophia nath Carl rhedeg i ffwrdd, dan chware. Rhedes i ar 'i ôl e lawr y llwybr, mewn i'r parc, cyn dala lan 'dag e wrth un o'r coed tal odd wedi sefyll ar hyd y ffordd 'ma ers degawde. Cyn John Lewis, cyn y daleks…. Roedd Carl allan o wynt, yn llawn cyffro. Bwysodd yn ôl yn erbyn colfen.

"Ma' heno 'di bo'n berffeth. Nes i garu'r bar, nes i garu'r adloniant ...." Nath e stopo i ddal 'i anadl. "Wi'n caru'n watch newydd i, a wi'n caru...." Nath e oedi fel odd e'n neud yn aml....

"Beth?" o'n i fod i ofyn. A bydde fe'n ateb 'Tom Hardy', ond heno odd pethe'n wahanol, heno odd e o ddifri, heno nath e ateb: "A wi'n dy garu, di."

Odd hi'n oer. Odd na ambell i gwmwl yn yr awyr ond dim digon i guddio'r sêr.

"Wi yn, ti'n gwbod. Wi'n dy garu di."

Nath e 'y nghusanu i.

"Wi'n gwbod," wedes i. Sylles i i fyw 'i lyged e ac odd popeth yn y byd yn iawn.

"A 'se ti moyn gofyn i fi dy briodi di, fydden i mwy na thebyg yn gweud 'ie'."

"Mwy na thebyg?"

"Priodi, mabwysiadu golden retriever, plant.... Mae'n dod i bawb yn y diwedd."

Droion ni am adre. Law yn law.

Ei law odd y peth cynta i fi golli. Pan dwi'n canolbwyntio alla i ddal cofio'r teimlad. Meddal, cynnes, saff. Ond ar y noson 'na, pan gethon ni ein gwahanu, 'i law odd y peth cynta i fi golli. Nath rhywun boeri, cicio. Wi'n cofio treial codi ar 'y nhraed. Ond odd e'n amhosib sefyll yn dal, ges i ngwthio i nôl lawr eto, yn galed.

"Watch the bender squirm."

Roedd yr ymosodwyr yn chwerthin ac mewn dim amser o gwbwl roedd dou ohonyn nhw'n 'y mwrw i. Dyrnu. Cicio. Gwasgu eu dwylo i mewn i nghorff i. Glywes i Carl yn gweiddi yn bellach i lawr yr hewl ond nag o'n i'n gallu clywed yn gwmws beth odd e'n weud dros wawdio'r dynion. O'n nhw'n neud cyment o sŵn, o'n i'n siŵr bydde rhywun yn clywed.

"Fancy yourself do you queer? Fancy a bit do you? Go on lads. Give the fucking queer what he fucking deserves."

Dries i gicio. Ond fel y plentyn bach yn cal crasfa ar iard yr ysgol o'n i ffili amddiffyn fy hun. Fel yr hen ddyn wedi 'i dargedu tra'n gwylio teledu yn 'i ystafell fyw, nag o'n i'n ddigon cryf. Fel y fenyw ifanc wedi ei chorneli tri deg eiliad i ffwrdd o'i drws ffrynt hi, o'n i ddim yn gallu galw am help. Odd gormod ohonyn nhw. Eu pwnshis yn cwmpo arno i'n ddi-stop, cesair ar goncrît.

Cydiodd rhywun yn 'y ngwallt a bwrw 'y mhen yn erbyn y ddaear fel drwm. Crac, clec. Bwrodd troed 'y mola i a gwasgu'r awyr allan ohono i. Odd chwant 'da fi hwdu.

Stopodd yr ymosodiad. Nes i feddwl fod y gwaethaf ar ben. Nes i weddio'n ddiniwed bo nhw'n mynd i adel i fi fynd. A dyna bryd deimlais i'r boen yn rhedeg trw'n esgyrn i a rhywun yn tynnu at 'yn nillad i. "Na, plîs, na, pidwch," nes i erfyn. Dryches i lan i chwilio am wyneb dynol. "This'll show the dirty queer. This'll finish it."

Nes i dreial stopo nhw rwygo'n nghrys, dries i stopo nhw'n niweidio i, dries i godi a rhedeg. Rhedeg! Deimles i'r gyllell yn gwasgu 'mol i. "Peidiwch, na!" O'n i'n gallu teimlo'n hunan yn gwaedu. Siarp, oer, chwim. O'n i'n gwbod bo fi'n gwaedu. "Plîs, na." Dryches i lan ond y cwbwl weles i odd dur y llafn yn dod amdano i eto. "Fuck! Na!" Eto. Eto. Torrodd y gyllell 'y nghroen. "Get him lower," sgrechodd rhywun.
Nes i wingo, "Na!" Ond daeth y gyllell i lawr eto, yn is, ac yn is, ac wrth iddyn nhw slaesio rhwng 'y nghoese ath popeth yn ddu.

Mae LEE yn dadwneud gweddill y botymau ar ei grys ac yn arddangos ei greithiau.

LEE

Mae'n nhw 'di gwella. Fel wedodd y doctoried fydden nhw. 'Dag amser.

Roedd Mam yn gwylio'r teledu pan ddihunes i, yn cnoi toffi ac yn dala'n law i. Agores i'n lyged a gwylio'r rhaglen hefyd am funed cyn i Mam estyn am losinen arall a gweld bo fi ddim yn cysgu. Edrychodd hi arna i a treial siarad, ond odd hi ffili gweud gair a dechreuodd hi lefen. Odd Dad yn sefyll mas tu fas. So fe eriod 'di lico ysbytai, ma' fe'n goffod dianc arogl y disinffectant. Dath e mewn pan alwodd Mam. Nes i ddim llefen. Nes i ddim llefen tan yn hwyrach.

Mae LEE'n gwisgo.

Arhosodd Mam a Dad drw'r dydd y diwrnod hwnnw. O' nhw'n treial 'y ngharco i fel o' nhw 'di neud pan o'n i'n blentyn ac adre o'r ysgol 'da'r Mumps neu'r Measles. Brynodd Dad bentwr o gylchgronne i fi. Ond yn hytrach na'r copie o Smash Hits odd e 'di prynu i fi ers lawer dydd, odd e 'di dewis yn fwy ofalus nawr. GQ, Attitude, What Car? Odd 'na stash o losin a ffrwythe. Potel o Coke a dillad newydd.... Sannau a pants wedi prynu yn Marks and Spencer's deuddydd yn gynt a 'di plygu'n daclus yn y locer. O' nhw yma i edrych ar ôl eu mab. Ond nage achos o frech yr ieir odd hyn. Ac o'n nhw'n dyall hynny'n iawn.

O'n i 'di cal 'y mwrw, 'y nghico, 'y nhorri, ac odd rhaid i'n rhieni i 'y ngweld i fel hyn.... Y cleisie a'r creithie yn amlwg i'w gweld, yn atgoffa nhw o beth odd wedi ddigwydd. Ac odd rhaid i fi 'u wynebu nhw. Odd hwnna'n galed. Wedi'r cwbwl, beth 'y chi fod weud wrth 'ych mam a'ch tad pan ma' criw o ddynion 'di ymosod arnoch chi am fod yn "Dirty little queer"?

Nag odd e'n rhwydd. Embarrassing, anodd. Ond ddim yn rhwydd. Yn enwedig i mam odd yn goffod torri'r newyddion fod y dynion 'di ymosod ar Carl hefyd ond 'i fod e ddim 'di bod mor lwcus. Shwd odd hi fod gweud 'tho i fydde fe ddim yn dod trw'r drws unrhyw funed nawr 'da gwên fawr ar 'i wyneb i ngweld i? Achos un nos Sadwrn, un nos Sadwrn hurt, odd gang o fois 'di yfed llwyth o gans a 'di mynd mas am sbort.

Siaradodd Dad 'da'r heddlu bob bore ac o nhw'n benderfynol 'u bod nhw'n gwitho dydd a nos i ffindo'r bobol odd yn gyfrifol. Wedon nhw odd e'n beth da bo fi ddim 'di cal cyfle i fynd adre, newid, golchi... bydde mwy o dystioleth fel hyn. Ond pam nag o'n ni 'di cadw i'r hewl? Pam nag o'n ni 'di aros ble odd pobol erill, pobol fydde 'di clywed, 'di galw am help? Ddylen ni 'di creu mwy o sŵn, ddylen ni 'di cael golwg well ar yr ymosodwyr, ddylen ni 'di ffindo tacsi, ddylen ni 'di aros adre....

Ofynnes i Dad i holi am watch Carl. O'n i moyn 'i gadw e, 'i wishgo fe. Dath e nôl i weud bo'r heddlu'n gwbod dim am watch. Odd e fod cal 'i riporto 'di ddwyn?

Wythnos yn ddiweddarach benderfynodd Mam bo hi'n saff i ngadel i ar 'y mhen 'yn hunan am gwpwl o orie. Glywes i lais cyfarwydd y tu allan. Dath rhywun i'r drws.

"Wel, dyma posh. Private room!"
Matthew.
"Nawr, wi 'di dod a popeth fydd ishe 'no ti. Moisturiser: we don't want you sacrificing your good looks, nawr ydyn ni? Ma'r air con yn y llefydd 'ma'n sychu croen ti allan something chronic. iPad fi. Fi 'di download-o rhai o'r foreign detective dramas 'na ti'n hoffi – paid â gofyn i fi beth – it's all Dutch to me! Ac yn olaf, bocs o Ferrero Rocher. Paid â bwyta nhw gyd mewn one go for God's sake. Sai moyn cal y bai pan ti'n rhoi hyd yn oed mwy o bwyse mlaen."

Nath e ddanso rownd yr ystafell yn chwerthin ac yn siarad fel
pwll y môr cyn glanio ar ochr y gwely.
"W…. Itha comfy nag yw e?"
Wenes i.
"So…. Shwd ma'r patient?"

Dyna pryd lefes i.

A nath Matthew 'y nala i nes bo fi 'di stopo.

*Mae LEE yn ystyried y meicroffôn eto. Mae'n cerdded draw i ganu
"Greatest Day" gan Take That unwaith yn rhagor. Ond mae fersiwn
y gân yn y Gymraeg y tro hwn. Yn dawel, synfyfyriol.*

Ai heddiw fydd, ein diwrnod ni
Cyn i amser orffen
I'r noson 'ma ddod i ben

Cadwa yn glos
Cadwa yn glos
Gwylia'r byd yn dod yn fyw
Cadwa yn glos

Ai heno fydd, y noson i ni'n ddau
Dechre bywyd
Dyfodol disglair braf

Wyt ti'n weld e?
Wyt ti'n weld e yn'o i?
Ti'n 'i deimlo fe?
Cydia yn'o i am oes

Heno…

Heno…

Cadwa yn glos
Cadwa yn glos
Gwylia'r byd yn dod yn fyw
Cadwa yn glos

Bydd yn eofn
Dal fy llaw yn dynn
Daw'r byd 'ma yn fyw
Pan ti'n cydio yn'o i

Ai heddiw fydd, ein diwrnod ni
Ai heddiw fydd, ein diwrnod ni

Diwedd.

CYW

gan **Roger Williams**

Perfformiwyd *Cyw* am y tro cyntaf yng nghanolfan y celfyddydau Chapter fel rhan o ŵyl Queer Cymru ym mis Awst 2007. Ysgrifennwyd y ddrama wedi ymosodiadau ar y gymuned hoyw yn Moscow y flwyddyn honno.

Cyw – Ryan Chappell
Cyfarwyddwr – Roger Williams

RHAN I

O ffenest 'yn 'stafell wely ar y degfed llawr o'n i'n gallu gweld pethe rhyfeddol. Cestyll ysblennydd, brogaod ffyrnig, a thywysogion golygus yn hela llygod mawr, enfawr. 'Y nghyfrinach i oedd yr olygfa hon. 'Y ngolygfa i.

Dim ond unwaith wnes i fentro rhannu gydag unrhyw un 'yn fersiwn i o beth o'dd tu hwnt i'r gwydr. Gwennodd 'yn fam ar ôl i fi ddisgrifio'r bwrlwm llachar. Y cwbwl yr o'dd hi'n gallu 'i weld o'dd blocie a blocie o fflatie... 'Tria 'to!' ...dynion ar eu ffordd adre o'r ffatri... ''Drycha!' ...plant drygionus yn crwydro'r strydoedd... 'Plis!' ...a char heddlu yn cadw llygad barcud ar y bobol bach.

'Mae 'da dy fab ddychymyg bywiog iawn, Mrs. Gabuzov,' wedodd 'yn athrawes wrth Mam un diwrnod.

Oes, Hen Wrach. Bywiog iawn.

* * *

Bydde'r ffatri'n cau bob haf am bythefnos a bydde Mam a finne'n gadael Moscow. Codi pac a dal y bws ger y farced i fynd i aros 'da Tada a Nana am wylie prin. O'n i ar bigau'r drain bob cam o'r ffordd. Heibio'r ysgol, heibio'r ysbyty, y tai crand gyda gerddi mawr, ac allan... Allan i'r awyr iach a'r cefn gwlad.

Roedd 'yn nhadcu a'n famgu'n ffermio darn o dir ar gyrion y ddinas. Roedd y tyddyn yn gartre' perffeth i fachgen o'r ddinas gyda 'dychymyg bywiog'. Roedd cant a mil o bethe i'w gwneud yno. Angenfilod i'w maeddu. Mynyddoedd i'w darganfod. Moroedd i'w nofio. Ac ar ôl cinio roedd rhaid i rywyn fwydo Bwtch yr afr hefyd.

'Dere 'da fi nawr, Cyw. Ma' ishe casglu'r wyau.'

Bob bore fydde Nana'n gofyn am 'yn help i gasglu'r wyau. Roedd dwylo'r ddau ohonon ni'n ddigon bach i estyn i mewn i'r cwb a dwyn y wyau bychain twym heb ormod o drafferth.

O'n i'n dwlu ar bob un o'r ieir oedd yn dodwy i Nana. O'n i wrth 'y modd yn eu gwylio nhw'n cerdded ar hyd y buarth am orie hir. Yn dychmygu beth yn gwmws o'n nhw'n 'i weud wrth 'i gilydd… clwc, clwc… pa gynllwyniau o'n nhw'n creu… clwc clwc… a'r clecs o'n nhw'n hel tra'n cerdded i fyny ac i lawr eu milltir sgwar.

Eira o'dd 'yn ffefryn. Iâr fawr ddu oedd yn f'atgoffa i o'r fenyw o'dd yn darllen y newyddion ar y teledu bob nos. Eira o'dd bós y teulu bach o ieir. Y frenhines. Y brifathrawes. Y don. Eira o'dd yr un i arwain y ffordd bob tro, i dorri dadl ac i warchod y cywion bychain rhag y cathod o'dd yn byw yn y sgubor.

Gwybodus, caredig, teg… Roedd Eira'n berffeth. 'Nana? Wyt ti'n caru Eira cymaint ag ydw i?' Edrychodd Nana arno i'n dwp. 'Cyw…? Pam fydde rhywun yn caru iâr?'

Y noson cyn i ni ddychwelyd i Foscow, wnaeth Nana baratoi swper arbennig i ni. Roedd y cig yn dyner ac yn flasus.

Y bore trannoeth sylwes i fod Eira 'di diflannu.

Lefes i'r holl ffordd adre.

RHAN II

'Dwi'n dweud 'tho ti, Cyw. Ti'n mynd i newid y byd rhyw ddydd.'

Roedd ymgyrchwyr 'di bod yn annog pobol i gymryd rhan yn y brotest ers dyddie. Roedd Blodyn wedi clywed bod Cadno – pishyn o'dd e 'di bod yn cwrso heb unrhyw lwc o gwbwl ers wthnose – yn mynd i fod yno. Felly, o'dd yn rhaid i ni fynd 'fyd.

Hon o'dd 'y mhrotest gynta' i. Wthnos yn gynharach oedd y Maer 'di canslo'r Orymdaith Pride. Yr orymdaith gynta' o'i math yn y ddinas. O'n i 'di clywed si bod carfan o bobol yn bwriadu cyflwyno deiseb yn ymbil arno fe i ail-ystyried. Ond o'n i ddim 'di bwriadu ymuno â nhw nes bod Blodyn 'di erfyn arno i i gadw cwmni iddo.

Doedd dim sôn am Cadno pan gyrhaeddon ni'r man ymgynnull. Dim ond rhyw hanner cant ohonon ni o'dd wedi mentro allan i wneud safiad.

O'n ffenest ar y degfed llawr o'n i 'di dychmygu byddin o ddynion hoyw a lesbiaid yn cerdded strydoedd Moscow yn swyno'r mwyafrif o'dd yn ein casáu ni. Dim byddin. Llond bỳs, falle.

Roedd y newyddion bod criw o cwiars yn bwriadu galw ar y Maer 'di teithio'n bell… O'r 'stafelloedd bychain lle o'n i a'n ffrindie'n mynd i ddawnsio bob nos Sadwrn i 'stafelloedd byw teuluoedd parchus. O ganlyniad, roedd cynulleidfa fawr 'di ymgynnull i'n croesawu ni. Ond nid cynulleidfa gyfeillgar oedd hon. Ac i brofi hynny, wnaeth un neu ddau ohonyn nhw ddangos 'u dannedd.

Chwythodd y gwynt yn gryf.

Wrth i ni gerdded, dechreuodd y gynulleidfa gweiddi enwau. Wnes i ddal llaw Blodyn yn dynn. Gweiddodd y gynulleidfa'n uwch. Roedd pobol o bob lliw a llun wedi dod i'n sarhau ni. Dynion ifanc, gwragedd tŷ, plant ysgol, a'r heddlu… ond yn y rhes flaen o'dd criw o hen fenywod… ac oedd 'da phob un ohonyn nhw fasged.

Roedd Nana 'di defnyddio basged debyg ar y fferm… basged i gasglu…

Cododd un hen fenyw 'i braich…

Edryches i lan i'r nefoedd a dechreuodd e fwrw… wyau.

Darodd yr wy gynta' Blodyn ar 'i ysgwydd. Gwympodd yr ail wrth 'y nhraed. Roedd yr wyau'n cwympo fel arfau o awyren yn hedfan uwch ein penne.

Bang! Games i i'r chwith… Bang! Symudes i i'r dde… Bang! Jwmpes i i fyny. Bang! O'n i'n symud i bob cyfeiriad i osgoi cael 'y mwrw. Edrychodd Blodyn arno i. 'Hei! Mae Cyw yn dawnsio! Dawnsio!' Ac fe o'n i. O'n i'n dawnsio fel o'n i'n dawnsio bob nos Sadwrn gyda'n ffrindie – 'y nghariadon – y bobol ddewr o'dd yn gwrthod cuddio.

Roedd y gerddoriaeth yn uchel. Uchel a phrydferth. Mor brydferth wnaeth y gerddoriaeth ddwyn perswâd ar Blodyn a'r lleill i ddechre dawnsio hefyd. Dawnsio a dawnsio, a wyau'r hen fenywod yn cwympo o'n cwmpas ni fel glaw mawr melyn.

Yna, daeth y dyrne, dyrne'r dynion gyda'r penne moel… Bang! Bang! Daeth y dawnsio i ben.

* * *

O ffenest yr ysbyty, ar y degfed llawr, weles i deigrod yn chwarae yn y caeau, draig yn nofio yn yr afon, ac ieir prydferth yn hedfan drwy'r cymyle.

Roedd yr awyr yn las.